ARGRAFFIAD CYNTAF – 2001

Yn yr un gyfres

Llew Frenin
Y Cathod Crach
101 Dalmatian
Aladin
Pocahontas
Llyfr y Jyngl
Pinocio
Crwca Notre Dame
Y Dywysoges Hir Ei Chwsg
Tylwyth Teganau 2

www.y-ddraig-fach.co.uk

Cyhoeddir y fersiwn Cymraeg gan Y Ddraig Fach, sef enw masnachol
Ashley Drake Publishing Ltd
PO Box 733, Caerdydd CF14 2YX

Cyhoeddwyd y gwreiddiol gan Ladybird Books Ltd
27 Wrights Lane, Llundain W8 5TZ

Addasiad Cymraeg gan Esyllt Penri
Argraffwyd yn Yr Eidal gan Ladybird Books Ltd, rhan o Gwmni Penguin

Mae LADYBIRD a'r logo Buwch Goch Gota
yn nodau masnachol cofrestredig (™) Ladybird Books Ltd.

ⓗDisney MCMXCVI ©
Mr Potato Head ® & Playskool Rockin' Robot ® yw nodau masnaschol
corfrestredig o Hasbro Inc.

Slinky ® Dog © James Industries
See 'N Say ® © Mattel Inc.

DiSNEP

TYLWYTH
TEGANAU

Ladybird

Woody'r cowboi oedd hoff degan Andy. Roedd yn byw yn 'stafell wely Andy gyda Slinci'r ci, Rex y deinasor, Mr Pen Taten, mochyn o'r enw Ham, Bo Peep a'r holl deganau eraill. Roedd y rhain yn deganau arbennig iawn. Pan doedd 'na neb o gwmpas roedden nhw'n dod yn fyw!

Un dydd, galwodd Woody'r teganau at ei gilydd. 'Mi fydd Andy a'i deulu'n symud tŷ cyn hir,' meddai wrthynt. 'Dyna pam mae Andy'n cael ei barti pen blwydd heddiw.'

Roedd y teganau'n boenus iawn eu byd. Byddai Andy'n siŵr o gael teganau newydd ar ei ben blwydd. Beth pe bai Andy'n hoffi ei deganau newydd yn fwy na nhw?

'Efallai y caiff o wared ar un ohonon ni,' griddfanodd Rex.

'Does dim angen poeni,' addawodd Woody. 'Fyddai Andy byth yn gwneud hynny.'

Gwyliodd y teganau'n ofalus wrth i Andy
agor ei anrhegion. Roedd popeth yn iawn
nes iddo ddod at y parsel olaf un –
gofodwr gwych. Daeth Andy ag ef i'w
'stafell wely a'i adael yno.

'Buzz, Gofodwr y Gwagle Pell, ydw i,'
meddai'r tegan newydd gan fflachio'i
oleuadau.

Roedd pawb wedi gwirioni efo Buzz.
Pawb oni bai am Woody. Roedd
Woody'n genfigennus!

'Dwyt ti ddim yn ofodwr siŵr
iawn,' gwawdiodd. 'Tegan wyt ti
fel y gweddill ohonon ni.'

Yn sydyn, daeth sŵn cyfarth o'r tu allan a
dyma ruthro at y ffenest. Roedd Sid, yr
hogyn drws nesaf, yn ymosod ar un o'i
filwyr tegan. Roedd Scud, ei gi, yn llawn
cyffro wrth ei wylio.

'Mae'n gas gen i Sid,' meddai Rex wrth
Buzz. 'Mae o'n mwynhau cam-drin ei
deganau.'

Gwyliodd y teganau Sid yn dinistrio'r milwr
bach heb fedru gwneud dim i'w rwystro.

Wrth i'r teganau fynd yn ôl i'w llefydd, roedd Woody'n dal yn flin efo Buzz. Credai, pe bai o'n anelu'r car tegan at Buzz, y byddai'r tegan newydd yn syrthio y tu ôl i'r ddesg ac yn mynd ar goll. Ond aeth popeth o chwith. Collodd reolaeth ar y car a syrthiodd Buzz allan drwy'r ffenest.

'Damwain oedd hi!' mynnodd Woody. Ond nid oedd yr un o'r teganau eraill yn ei gredu.

Yn sydyn, rhuthrodd Andy i'r ystafell. Roedd o'n mynd i'r Blaned Pizza ac am fynd â thegan efo fo.

'Mam, fedra i ddim ffeindio Buzz,' galwodd. 'Mi fydd rhaid i mi fynd â Woody efo fi yn lle.'

Ond mi ddaeth Buzz efo nhw wedi'r cwbl. Roedd wedi disgyn i ganol llwyn, ac wrth i'r car gychwyn fe lwyddodd i neidio arno.

Roedd y Blaned Pizza'n llawn gemau arcêd. Credai Buzz mai llong ofod oedd un ohonynt a dringodd i mewn iddi, yn cael ei ddilyn gan Woody.

Roedd yn llawn teganau bach gwyrdd oedd yn cael eu codi ar fachyn. Roedd Woody a Buzz wedi dychryn am eu bywyd pan welon nhw pwy oedd wedi llwyddo i godi'r ddau ohonyn nhw – Sid, yr hogyn drws nesa!

Roedden nhw wedi dychryn
mwy fyth pan
gyrhaeddon nhw 'stafell wely
Sid. O'u cwmpas ym
mhobman roedd
yna greaduriaid
dychrynllyd
iawn yr olwg –
creaduriaid roedd Sid wedi'u creu o'r
teganau a falodd. Roedd y creaduriaid yn
dod yn nes ac yn nes.

'Nôl â chi!' gwaeddodd Woody. 'Ty'd,
Buzz. Mae'n rhaid i ni ddianc.'

Newydd ddianc yr oedden nhw pan glywodd Buzz y llais. 'Dyma Seren, y Llong Ofod, yn galw Buzz, Gofodwr y Gwagle Pell.'

Gan adael Woody'n cuddio mewn cwpwrdd, rhuthrodd Buzz tuag at y llais. Ond doedd o'n ddim mwy na llais hysbyseb teledu i'r tegan.

Roedd Buzz wedi'i syfrdanu. 'Mae o'n wir felly,' sibrydodd. 'Dw i'n ddim mwy na thegan wedi'r cwbl.'

Er mwyn profi ei fod o'n ofodwr go-iawn ceisiodd Buzz hedfan. Ond syrthiodd i'r llawr a thorri'i fraich.

Cafodd Woody hyd i Buzz a mynd ag o'n ôl i 'stafell Sid. Wrth edrych allan drwy'r ffenest, gwelodd ei hen ffrindiau yn 'stafell Andy.

'Hei, helpwch fi, hogia!' galwodd Woody gan chwifio'i freichiau'n wyllt.

Ond roedd y teganau wedi gwylltio efo Woody am eu bod yn meddwl ei fod wedi brifo Buzz. 'Llofrudd!' gwaeddodd Mr Pen Taten wrth i Slinci'r ci dynnu'r bleind i lawr.

Daeth Woody oddi wrth y ffenest yn benisel iawn. Roedd ef a Buzz wedi'u carcharu yn nhŷ Sid a doedd wybod beth a ddigwyddai iddynt.

Wrth lwc, roedd teganau rhyfedd Sid yn ddigon cyfeillgar wedi'r cwbl. Y noson honno fe drwsion nhw fraich Buzz.

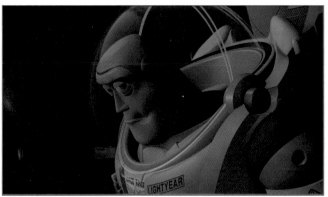

Yn hwyr y noson honno rhuthrodd Sid i'r 'stafell. Cydiodd yn Buzz a chlymu roced fawr i'w gefn. 'Mae gen i syrpreis i ti,' chwarddodd. 'Ben bore fory mi fyddi di'n cael dy anfon i ben draw'r bydysawd.'

Roedd Buzz wedi torri'i galon yn lân. 'Ti oedd yn iawn,' meddai wrth Woody. 'Tegan ydw i, nid gofodwr.'

'Y ffaith dy fod ti'n degan sy'n dy wneud ti'n arbennig siŵr iawn,' meddai Woody. 'Ac nid unrhyw hen degan chwaith, ond tegan i Andy sy'n meddwl dy fod ti'n grêt. Mi fydd o'n siŵr o'n colli ni ac mae'n rhaid i ni fynd yn ôl ato fo!'

Meddyliodd Buzz am funud. 'Rwyt ti'n iawn,' meddai o'r diwedd. 'Ty'd i ni gael dianc!'

Ond roedd hi'n rhy hwyr! BRRRRRIINNG canodd cloc larwm Sid. Lluchiodd hwnnw'r cloc i'r llawr ac estyn am Buzz.

'Wel, dyma'r diwrnod mawr wedi cyrraedd,' meddai. Rhuthrodd i lawr y grisiau ac i'r ardd, lle y dechreuodd adeiladu pad lansio . . .

Trodd Woody at deganau Sid am help.

'Plîs wnewch i fy helpu fi i achub Buzz?' crefodd. 'Mae o'n ffrind i mi.' Gwenodd y teganau rhyfedd ar Woody a gyda'i gilydd dyma fynd ati i gynllwynio.

Yn yr ardd roedd Sid yn
barod i danio'r ffiws ar
roced Buzz. 'Deg! Naw!
Wyth!' cyfrodd.

Yna gwelodd Woody ar
y llawr. Wrth iddo ei
godi, cafodd ei
amgylchynu gan y
teganau eraill, a dyma
Woody'n siarad . . .

'AAAAAGH!'
bloeddiodd Sid. 'Help!
Mae'r teganau yma'n
fyw!' A rhedodd i'r tŷ
gan sgrechian.

O'r diwedd, roedd Woody a Buzz yn rhydd! Dyma nhw'n diolch i deganau Sid am eu help a chychwyn am adref. Ond roedd Andy a'i deulu yn gyrru i ffwrdd, yn cael eu dilyn gan fan ddodrefn.

'Maen nhw'n symud!' ebychodd Buzz.

'Brysia!' gwaeddodd Woody. 'Mae'n rhaid i ni'u dal nhw!'

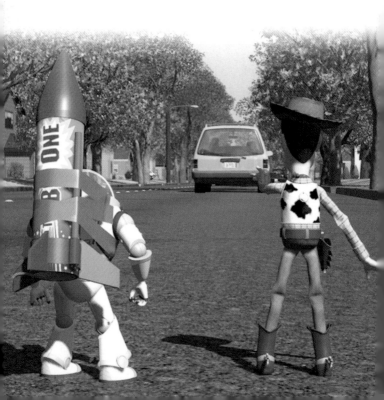

Rhuthrodd y ddau ffrind ar ôl y fan. Llwyddodd Buzz i ddringo ar fymper ôl y fan, ond cafodd Woody ei ddal gan Scud, a oedd wedi eu dilyn.

'Gad lonydd i mi,' gwaeddodd Woody gan geisio'i ryddhau ei hun. Ond ddaru Scud ddim byd ond chwyrnu . . .

Neidiodd Buzz oddi ar y bymper ac ymladd yn ddewr yn erbyn Scud. Rhedodd hwnnw am adref a'i gynffon rhwng ei goesau. Woody oedd ar y fan yn awr – a Buzz wedi'i adael ar ôl.

Y tu mewn i'r fan cafodd Woody hyd i'r
bocs oedd yn cynnwys y teganau.
Roedden nhw wedi synnu ei weld.

'Mae Buzz y tu allan ac mae'n rhaid i ni'i
helpu fo,' meddai Woody wrthynt.
Cydiodd yn y car tegan a'i gyfeirio tuag
at Buzz.

'Hei!' galwodd Mr Pen Taten. 'Mae o'n
trio cael gwared arnon ni rŵan hefyd!
Ond mi gawn ni weld am hynny!'

Gan weiddi dros bob man, taflodd y
teganau Woody allan o'r fan.

Ond buan y tawelon nhw wrth weld Woody a Buzz yn sgrialu tuag atynt yn y car tegan.

'*Edrychwch*! Maen nhw efo'i gilydd!' meddai Rex. 'Roedd Woody'n dweud y gwir wedi'r cwbl.'

Yna arafodd y car a sefyll yn stond.

'Mae'r batri wedi gorffen!' llefodd Buzz.

A gwyliodd ef a Woody y fan yn diflannu i'r pellter.

Yn sydyn, cofiodd Buzz am y roced a oedd yn dal wedi'i chlymu i'w gefn. 'Woody! Y roced!' galwodd.

Dyma nhw'n tanio'r ffiws ac WHOOOSH! I fyny â nhw!

Eiliadau cyn i'r roced ffrwydro, pwysodd Buzz fotwm ar ei frest er mwyn rhyddhau ei adenydd. Roedden nhw'n awr yn hedfan!

'Mae hyn yn grêt,' chwarddodd Woody wrth iddyn nhw edrych i lawr ar y fan. Y funud nesaf roedden nhw'n disgyn yn araf drwy'r to haul ar gar Andy.

Roedd Woody a Buzz yn ddiogel, ac yn ôl efo'r bachgen oedd yn meddwl y byd ohonynt.

Ar ôl eu hanturiaethau daeth Woody a Buzz yn bennaf ffrindiau. Bellach doedd Woody ddim yn genfigennus o Buzz, ac roedd y gofodwr yn ddigon hapus i fod yn degan fel pawb arall. Fe setlon nhw i gyd yn y tŷ newydd ac roedd y misoedd nesaf yn rhai hapus iawn.

Daeth dydd Nadolig ac roedd yr eira'n drwch y tu allan. Rhuthrodd Andy i lawr y grisiau i agor ei anrhegion.

Unwaith eto, roedd y teganau'n ei wylio'n ofalus.

'Wyt ti'n poeni, Buzz?' gofynnodd Woody.

'Nac ydw siŵr,' atebodd Buzz. 'Wyt ti?'

'Dim o gwbl,' chwarddodd Woody. 'Wedi'r cwbl, beth yn y byd allai Andy'i gael sy'n waeth na ti?'

Daeth yr ateb ar ffurf cyfarthiad bach cyffrous.

'O, na!' chwarddodd y teganau. 'DIM CI!'